Christelle Angano

UNE LUMIÈRE DANS LA NUIT

SE SOUVENIR DE CLARA

Collection Traces
ISBN 979-10-93552-97-2
Couverture et mise en pages : Marie-Pierre Charbit
Tableau en couverture © Arnaud Jusiewicz

À Clara Chompton et ses compagnons d'infortune,

à Suzanne,

à mes enfants.

PRÉFACE

À une époque où nombre de généalogistes amateurs se lancent à la recherche de leurs ancêtres, la démarche de notre collègue Christelle Angano, partie en quête de la mémoire de son arrière-grand-mère, pourrait sembler banale. Elle ne l'est pas.

En effet, Clara Chompton n'était pas une femme ordinaire. En juin 1944, comme quelques habitants de Barneville-la-Bertran, non loin d'Honfleur, elle n'hésite pas à porter secours à des parachutistes britanniques tombés dans les bois de Saint-Gatien, à plus de 30 kilomètres de leur objectif: la fameuse batterie de Merville. Son geste est d'autant plus courageux qu'elle est, elle-même, d'origine anglaise. Naturalisée française, elle a de ce fait échappé en 1940 à l'internement dans l'un des camps destinés aux ressortissants des pays étrangers en guerre contre le Reich.

Pour autant, elle n'en reste pas moins suspecte aux yeux de l'occupant allemand et le risque qu'elle prend n'en est que plus important.

À la suite d'une imprudence, elle est appréhendée avec six autres habitants de Barneville-la-Bertran. Commence alors pour Clara Chompton un calvaire dont les étapes sont celles que connurent bien des femmes arrêtées pour fait de résistance : le fort de Romainville, près de Paris, la déportation vers le camp de transit de Neue Bremm, à Sarrebruck, et enfin le camp de concentration de Ravensbrück dont elle ne reviendra pas.

En honorant la mémoire de sa bisaïeule, Christelle Angano rend également hommage à tous ces Bas-Normands — et ils furent nombreux — qui n'hésitèrent pas, au péril de leur liberté et de leur vie, à apporter leur aide, au cours de la nuit du 5 au 6 juin 1944 et dans les jours suivants, aux nombreux parachutistes britanniques ou américains égarés à la suite d'erreurs de largage.

Jean Quellien
Professeur émérite d'histoire contemporaine
Université de Caen Basse-Normandie

Chère Clara,

J'ai écrit ce livre pour toi. Tu en es l'héroïne.

Je me permets de te tutoyer, je ne t'ai pas connue, mais on m'a tellement parlé de toi que tu m'es devenue familière.

Et puis, tu es mon arrière-grand-mère…

J'ai choisi de retracer ce que je sais de ton histoire pour rendre hommage à ton courage.

Pour te connaître à défaut de te rencontrer.

Pour mes enfants aussi.

Pour que l'on ne t'oublie pas.

I

ÉCRIRE POUR CLARA

Je twisterais les mots
S'il fallait les twister
Pour qu'un jour les enfants
Sachent qui vous étiez

Jean Ferrat, *Nuit et Brouillard*

Suzanne

C'est l'heure du thé. Un parfum de bergamote flotte dans la salle, les petits Lu sont disposés dans une jolie assiette de faïence bleue. Suzanne, ma grand-mère, me regarde intensément. « Les hommes », comme nous nous amusons à dire, sont partis se promener en forêt avec les enfants. C'est devenu un rituel et bientôt la forêt n'aura plus de secret pour eux. Nous sommes en avril. Les chemins fleurissent. Les petits reviendront avec des bouquets de primevères et de violettes.

Nous savourons ce moment l'une et l'autre, cet instant de complicité partagée et de confidences souvent émouvantes. Le temps qui passe nous rapproche. Je me projette en elle et parfois, elle se retrouve en moi. J'ai compris, bien des années plus tard, que Suzanne m'apprenait à vieillir.

« Et si tu racontais l'histoire de Clara… »

Clara est mon arrière-grand-mère maternelle, sa belle-mère. Clara Mathews-Chompton… Une Anglaise… Enfant, on me la présentait comme l'héroïne de la famille. Déportée pendant la Seconde Guerre, elle n'est pas revenue. L'histoire de Clara, ou en tout cas, ce que j'en pressentais, m'impressionnait beaucoup. Je savais que Clara avait aidé des parachutistes anglais lors du Débarquement, qu'elle avait été arrêtée pour fait de résistance et qu'elle était morte au camp de Ravensbrück. Enfin, je savais également qu'ils avaient été une dizaine à être arrêtés et déportés ce jour-là. Bien sûr, je ne connaissais rien de ce dernier parcours ni des raisons profondes de l'arrestation de Clara.

Cette période de l'Histoire me passionne. Je me souviens de mes cours en troisième, de ma « rencontre » avec Jean Moulin, que je trouvais si beau avec son chapeau, de Mathilde, héroïne de l'*Armée des ombres*, de Lucie et Raymond Aubrac, bien sûr d'Anne Franck, qui m'a bouleversée. Je suis fascinée par cette période où se côtoient la folie criminelle et l'héroïsme pur.

À vrai dire, la demande de ma grand-mère me surprend. Comme beaucoup de personnes de sa génération, elle n'aime pas parler de la guerre et elle a toujours repoussé mes questions d'une main excédée quand je tentais d'aborder cette période. « Pourquoi parler de tout cela ? » me répondait-elle à chaque fois. Je pense qu'elle n'avait pas envie de réveiller des souvenirs désagréables et douloureux. Je la comprenais, et je n'insistais pas.

« Écris l'histoire de Clara. Elle le mérite. » Suzanne ne voulait pas me parler de *sa* guerre, mais me demandait de raconter celle de sa belle-mère, tant admirée.

Je suis ravie, et aussi très émue. Je songe à nos échanges à venir. Parler de Clara, c'est aussi parler de Suzanne, jeune femme. Rien ne peut me toucher davantage. Ce désir de transmission, ce besoin, à ce moment de sa vie, de raconter, de se raconter, me bouleverse. Et je suis fière, ô combien, d'être le « relais » privilégié… Nous avons l'une et l'autre conscience du temps qui passe, inexorable, impitoyable. Ce temps, forcément, nous est compté ; Suzanne n'est plus une jeune fille.

À peine ai-je le temps d'accepter qu'elle m'entraîne dans sa chambre après une petite vérification : la porte d'entrée est bien fermée à clé. Nous allons pouvoir plonger dans les souvenirs de ma grand-mère. Je suis impatiente, un peu anxieuse aussi. Réveiller le passé peut s'avérer douloureux, je m'inquiète pour Suzanne. L'instant est fragile, comme suspendu. Il n'y a que le tic-tac de l'horloge qui nous raccroche au présent.

Très vite, le grand lit, dans lequel j'aimais tant me réfugier petite fille, se retrouve envahi de vieilles photos jaunies, parfois aux coins cornés, quelques vieilles lettres aussi, ainsi que de papiers officiels de l'époque. Nous sommes là, toutes les deux, au creux de sa mémoire. Nous sommes bien. L'odeur du parquet ciré et celle de l'armoire lustrée se mêlent à celle du vieux papier. Je m'en imprègne, consciente de la magie du moment Ces parfums ne me quitteront pas ; les fragrances de la nostalgie peut-être. Je ne sais pas à quel point ces instants me manqueront plus tard…

De confidence en confidence, de photo en photo, je découvre la famille de Clara : François et Robert, ses deux fils et Léon Chompton, son mari.

Je m'amuse de la moustache de mon arrière-grand-père, de vraies bacchantes que n'aurait pas reniées Georges Clemenceau ! Suzanne me raconte… son regard se perd un peu. Elle me parle de son beau-frère, François, brigadier, mort pour la France le 16 août 1943. Il est enterré dans le petit cimetière de Barneville la Bertran. Léon Chompton quant à lui est décédé le 19 février 1944. Il n'aura donc pas connu l'histoire que je vais bientôt découvrir. Bien sûr, elle me parle de Robert, mon grand-père.

Au centre du lit, une enveloppe m'intrigue.

« C'est pour toi Christelle ; je voudrais que tu l'emportes avec toi. »

Dans cette dernière, pliée avec précaution, je découvre une mèche de cheveux. Suzanne la retire de son enveloppe et la dépose dans le creux de ma main. J'ai malgré moi un mouvement de recul. Les cheveux de Clara… Cela me bouleverse. Je regarde sa photo, je caresse ses cheveux. Soudain, elle est là… Nous sentons sa présence. Ma grand-mère pose sa main sur ma joue ; c'est son geste :

« Je te confie tout ça. C'est à toi maintenant. Je suis contente. Merci. »

Mais nous parviennent les rires de nos promeneurs. Nous refermons la boîte à souvenirs. Suzanne range la mèche et glisse la précieuse enveloppe dans mon sac.

Le reste de la journée se passe, léger et plein de rires, crème Mont-blanc au chocolat, thé parfumé, rires d'enfants et tendresse partagée. Au moment de nous quitter, Suzanne me serre le bras. Nous échangeons un sourire complice, heureuses de ce secret partagé. Elle me remercie encore une fois, visiblement émue ; soulagée aussi. Quant à moi, je ressens déjà cette angoisse diffuse que l'on éprouve parfois au moment de rencontrer quelqu'un, lorsque l'on sait que cette rencontre sera importante. Et puis, surtout, dois-je l'avouer, j'ai peur. Peur de ne pas « être à la hauteur ». Il est des gens que l'on n'aime pas décevoir.

Musée de la Batterie, Merville-Franceville

Quelques semaines se sont passées depuis cette journée. La mèche de cheveux de Clara est précieusement rangée dans mon secrétaire, avec les quelques documents que Suzanne m'a confiés. Nous nous téléphonons souvent. Elle raconte, je l'écoute.

Le 4 juin 2011, je suis invitée à représenter mon arrière-grand-mère à l'inauguration d'une plaque commémorative en hommage aux déportés de Barneville-la-Bertran, au musée de la batterie de Merville-Franceville, non loin d'Ouistreham. Je suis très troublée par l'enchaînement des événements depuis ces dernières semaines. Comme si tout s'accélérait.

Je me prépare, un peu angoissée. C'est un peu comme si l'Histoire m'invitait. Je suis là, face à mon miroir. J'essaye de retrouver Clara dans mon reflet, de… l'interroger. Mais non, je ne lui ressemble pas. Les questions se bousculent dans ma tête. Qu'attend-on de moi ? Aurai-je à prendre la parole ? Et puis surtout, ma présence est-elle vraiment légitime ?

Bien sûr, j'appelle Suzanne avant de partir. Je crois que j'ai besoin qu'elle me dise, une fois encore, que oui, je serais ma place. Évidemment, elle m'encourage à y aller. Mon mari et moi lui proposons d'être des nôtres, de venir la chercher, mais elle refuse à nouveau : la foule, l'émotion, le cérémonial… Oui, je lui raconterai… Alain prendra des photos… Nous les lui apporterons…

Arrivée sur place, je suis accueillie, par la directrice du musée et par M. Dupuis. Féru d'Histoire, propriétaire d'un des manoirs où des parachutistes ont été cachés, il s'intéresse au sort funeste des victimes de Barneville-la-Bertran. C'est grâce à lui que je suis là, et il va considérablement m'aider dans mes recherches, de par ses connaissances et ses contacts. (Qu'il sache que je l'en remercie.) Je suis très surprise et touchée par l'accueil que l'on me réserve et je dois avouer que je ne peux m'empêcher d'être gagnée par l'émotion devant la solennité de la cérémonie. Des vétérans viennent me saluer, quelques personnes à qui l'on me présente en tant que ton arrière-petite-fille, Clara, tiennent à me serrer dans leurs bras, à me parler de toi. Je suis très impressionnée et, je dois le reconnaître, plutôt fière d'être là. On me demande si j'ai des enfants, on veut voir des photos, on s'émerveille de voir que Mélina, ma fille âgée de 16 ans te ressemble énormément. C'est vrai, la ressemblance est frappante, j'avais déjà eu l'occasion de le remarquer et Suzanne me le répétait régulièrement.

Pendant la cérémonie, on m'invite à la droite de la tribune. Je suis franchement mal à l'aise, c'est beaucoup d'honneur, mais je finis par accepter. Nous écoutons les discours de M. O Paz, maire de Merville-Franceville et Président de l'Association franco-britannique de la batterie de Merville. Après une minute de silence si intense qu'elle me semble interminable, c'est à moi que va revenir l'honneur de déposer le bouquet de fleurs pour Clara, dans la casemate n° 2 du musée de Merville-Franceville. L'instant est solennel. Je dois reconnaître que je suis très touchée de cette attention.

Je suis également très émue de rencontrer M. Tom Hugues, vétéran du 9e bataillon. Nous nous recueillons face aux photos de ces personnes que le musée de Merville-Franceville a choisi d'honorer. Je suis troublée, entourée de tous ces vétérans qui restent près de moi, visiblement heureux de ma présence. Alors les langues se délient, on me parle de la femme extraordinaire qu'était mon arrière-grand-mère. Une fois encore, je ne peux m'empêcher d'être fière de toi, Clara. D'être fière aussi d'être ton arrière-petite-fille. On me raconte ton histoire, votre histoire, celle de la famille

Marie, décimée, dont aucun homme ne reviendra ; les fils étaient si jeunes… Je prends conscience du véritable sens de la distinction « Mort pour la France » à laquelle, je l'avoue, je n'attachais pas tant que cela d'importance. Je pense à François Chompton, mort à 24 ans, aux jeunes fils Marie. Et à Erwan, mon fils aîné, qui a leur âge.

Pour terminer la cérémonie, nous monterons à bord du Dakota, exposé au musée. Cet avion américain est un DC-3. Il a joué un grand rôle pendant la Seconde Guerre. Transporteur, utilisé pour tirer les planeurs ; il était également utilisé pour larguer les paras. C'est un de ceux-là qui, 67 ans plus tôt, avait conduit le 9e Bataillon au-dessus de Barneville-la-Bertran…

La maison du régisseur

Pour mieux connaître Clara et surtout pour mieux « ressentir », je décide de me rendre à Barneville-la-Bertran, là où tout est arrivé. Mon aïeule me semble un peu plus familière et, pour la première fois, je me demande si je n'irais pas, un jour peut-être, à Walsall, au Royaume-Uni, où elle est née, le 2 mai 1887. Peut-être même y rencontrerais-je des personnes de ma famille.

Oui chère Clara, je suis allée découvrir ces paysages qui t'étaient familiers, revoir ta jolie maison, « la maison du régisseur », comme on l'appelait ; où tu as été heureuse, avec ton mari, et tes deux fils ; et où tout s'est arrêté, un jour de juin 1944. Les volets étaient fermés quand je suis passée. Mais le ruisseau coule toujours derrière la maison… et ton souvenir est encore terriblement présent.

Lors d'une de mes nombreuses visites à Barneville, je rencontrerai monsieur Geffine, qui t'avait connue. Quand on m'a présentée à lui, il n'a pu se retenir de pleurer en tenant mes mains. Son émotion était telle que j'en tremblais également. Il était visiblement heureux d'apprendre mon projet. Il t'avait connue… C'était incroyable.

Puis quelque temps plus tard, à Alençon, je vais rencontrer un de tes neveux : Claude. Rencontre d'autant plus extraordinaire qu'elle sera absolument le fruit du hasard. C'était au Salon du livre d'Alençon, en juin 2013. Je partageais ma table avec Anne-Sophie Boisgallais, une auteure de la région. Quelle ne fut pas notre surprise de découvrir, au fil de notre discussion, que nous étions cousines! Son papa, Claude, que bien sûr elle me présenta, se souvenait très bien de Clara et c'est avec émotion qu'il me raconta ses vacances de gamin à Barneville-la-Bertran, avec ses cousins Robert et François, chez « tante Claire ». Les larmes aux yeux, il me raconta les parties de pêche aux écrevisses, dans le ruisseau. Cette rencontre extraordinaire était comme un clin d'œil. Il fallait que je continue!

II

LE LIVRE DE CLARA

Le soldat inconnu, ce sont les femmes

Auteur inconnu

Ce jour où tout bascula

Barneville-la-Bertran, 19 juin 1944

5 h du matin.

Le jour se lève doucement sur Barneville-la-Bertran. Tout est éteint dans la jolie maison à colombages. Les volets sont fermés, les lumières éteintes. La maison est silencieuse, peut-être encore endormie. Si l'on tend l'oreille, on peut percevoir le chant cristallin du petit ruisseau qui s'écoule gaiement derrière la maison ; celui-là même qui faisait le bonheur des enfants, au temps des vacances et des écrevisses que l'on pêchait, les pantalons retroussés sur les mollets, quand les cousins venaient aux beaux jours.

Pourtant, si aujourd'hui, tout a l'air calme et serein, ce n'est qu'apparence. Nous sommes le 19 juin 1944. Bientôt, dans quelques minutes à peine, des soldats allemands viendront arrêter la locataire des lieux, Madame Clara Chompton. Effectivement, les voilà qui arrivent. Ils frappent à la porte brutalement. Clara est seule. Robert, son fils, et sa jeune épouse, Suzanne, sont absents, heureusement. Le jeune couple, tout juste marié, vient d'emménager à Vasouy, près d'Honfleur. De toute façon, c'est bien elle, Clara, que l'on vient chercher. Sans ménagement, on l'emmène à Honfleur, à la *Kommandantur*. On a des questions à lui poser, au sujet de parachutistes britanniques qu'elle aurait aidés. Et puis, Clara Chompton, née Matthews, bien que naturalisée française, reste d'origine anglaise, et bien sûr, cela ne joue pas en sa faveur en ce mois de juin 1944. Nous sommes en pleine bataille de Normandie et les troupes allemandes sont « sur les dents ».

Clara a-t-elle été victime d'une dénonciation ? D'une maladresse ? D'une gaffe ? Tout est envisageable, malheureusement, et là encore, il existe plusieurs versions. J'imagine mon arrière-grand-mère ce matin-là. Je la devine vêtue de sombre, elle porte le deuil de son fils François et de Léon, son mari. Elle sort de chez elle, emmenée. Peut-être, sûrement, la brusque-t-on… Mais elle reste stoïque, priant certainement pour que Robert et Suzanne n'arrivent pas à cet instant précis.

Quelques recherches m'ont permis d'en savoir un peu plus quant à l'arrestation et la fin tragique de mon arrière-grand-mère, grâce notamment à son fils, Robert et au rapport qu'il a fait de ces événements en 1945 (procès-verbal du 29 janvier 1945, Gendarmerie nationale de Honfleur). Le jour même, dès l'annonce de l'arrestation de sa mère, il va se rendre au domicile de ses parents. Il ne peut que constater le pillage de la maison et le vol de la totalité des bijoux de sa mère. Il tente de la voir à la *kommandantur* à plusieurs reprises et finit par obtenir l'autorisation de la sentinelle. Malheureusement, ils ne pourront pas communiquer, étant étroitement surveillés. Malgré tout, Robert y retournera dès le lendemain sous prétexte de lui apporter de la nourriture. Jusque-là, il s'était bien gardé de préciser le lien de parenté qui l'unissait à Clara. Elle va lui apprendre que lui-même est activement recherché et aussi qu'on attend d'elle qu'elle dénonce d'autres membres du réseau, sans quoi elle serait fusillée.

Malgré le danger, Robert retournera encore une dernière fois à la *Kommandatur*, avant de quitter Honfleur, bien décidé à connaître l'identité de la personne qui a dénoncé sa mère. En effet, une phrase terrible semble être à l'origine de son arrestation : « *Demandez à Madame Chompton, car c'est elle qui sait tout.* » Pour cela, il va devoir impérativement communiquer avec sa mère. Ainsi, cette fois-là, il décide de ne pas cacher son identité. Bien sûr, on le laisse entrer, un peu surpris de le voir ainsi « se jeter dans la gueule du loup ». Non seulement il va pouvoir parler avec Clara, mais aussi avec tous ceux arrêtés avec elle, pour la même affaire. « Ma mère m'assura n'avoir dénoncé personne, ayant « tout pris sur elle », dira-t-il plus tard. Ce jour-là, Robert Chompton, après avoir embrassé sa mère une dernière fois — la dernière fois — profitera de la sortie de la sentinelle qui accompagne M. Marie pour satisfaire un besoin naturel, pour s'éclipser.

Deux, trois jours plus tard, après avoir assisté de loin au départ de sa mère, il partira avec son épouse se réfugier dans l'Orne, où ils vont rester jusqu'à ce qu'enfin vienne le moment de la Libération.

Bien sûr, entre temps, Robert suivra les étapes de sa mère. Il apprendra donc qu'elle a été d'abord emmenée à Évreux, puis au Fort de Romainville.

Le fort de Romainville

Le fort de Romainville, en Seine-Saint-Denis, va servir de camp d'internement dès octobre 1940. À partir d'août 1942, il devient une « réserve » d'otages arrêtés en représailles des attentats de la Résistance. La plupart de ces otages seront fusillés au Mont-Valérien. Le fort va ensuite devenir, avec Compiègne, un camp de transit, vers les camps de concentration nazis.

À partir de février 1944, ce sont presque exclusivement des femmes qui arrivent à Romainville. Une fois leur déportation décidée, elles sont transférées au fort où elles attendent une quinzaine de jours avant d'être déportées. Plus de 3800 femmes seront internées à Romainville ; 90 % d'entre elles, dont Clara, seront déportées à Ravensbrück. Plus de 40 % des déportées de France, par mesure de répression, sont passées par Romainville.

C'étaient essentiellement des résistantes ou des femmes victimes de rafles aveugles. Les déportations vont s'achever le 15 août et le 19 du même mois, la garnison allemande va quitter le fort, laissant derrière les bâtiments les corps de 11 prisonniers fusillés.

Durant l'occupation, 3900 femmes et 3100 hommes furent internés au Fort de Romainville avant d'être déportés ; 209 prisonniers y furent fusillés.

C'est là que mon grand-père perdra la trace de sa mère. Il pensera alors que cette dernière, après avoir connu, comme tant d'autres, la chambre des tortures de la rue des Fossés, avait dû être fusillée. Cela ne fut pas le cas.

Le 18 juillet 1944, mon arrière-grand-mère sera déportée depuis Paris sur Sarrebruck. Ce jour-là, ce seront soixante-cinq femmes qui partiront. De Sarrebruck, elle sera transférée à Ravensbrück sous le matricule 47333, une parmi les 8000 déportées françaises.

J'ai essayé de te suivre Clara, afin de reconstituer ton dernier voyage. Les prisonnières étaient en général extraites à l'aube du fort de Romainville. En bus, elles étaient dirigées vers Paris. Parfois, on les autorisait à conserver quelque bagage. Les plus chanceuses se voyaient remettre un colis de la Croix-Rouge, un peu de beurre, du saucisson, quelques biscuits, du chocolat, peut-être un morceau de pain et du pâté. D'autres fois, le plus souvent, elles n'avaient rien. Et toi Clara ? As-tu pu bénéficier de cette dernière « douceur », avant de connaître l'enfer ? J'aime à le penser.

Les femmes étaient ensuite embarquées dans des wagons de voyageurs de troisième classe, aux fenêtres grillagées. Des « voitures-cellulaires », raccordées aux trains réguliers de la ligne Paris-Berlin. As-tu toi aussi, comme certaines de tes compagnes de tourmente, tenté de jeter par les tinettes, un dernier mot destiné à Robert et Suzanne, afin de les rassurer ?

Beaucoup de ces mots, ramassés sur les voies par des mains anonymes et amies, arrivaient à destination. Des mères, des épouses, des filles, des fiancées, qui tentaient de donner un indice, ou de rassurer leurs proches, de leur dire au revoir, peut-être.

L'arrivée à Neue Bremm marquait le début de l'expérience concentrationnaire. Les femmes étaient débarquées, bousculées sans ménagement, accueillies par les hurlements des soldats, les grognements et les crocs des chiens, et quelquefois sous les crachats de civils et même d'enfants que l'on élevait dans la haine de ces femmes déportées. Tous les témoignages de femmes rescapées vont dans le même sens. Elles assistent, à leur arrivée au camp, à des scènes d'une violence inimaginable.

En ce qui te concerne, Clara, il va s'agir là d'un lieu de transit. Ta véritable destination est le camp de Ravensbrück, au nord de l'Allemagne, près de Furstenberg. Combien de temps es-tu restée à Neue Bremm ? Nous ne le savons pas exactement. En moyenne les déportées ne demeuraient là qu'une vingtaine de jours. On sait qu'au cours de l'été 1944, le camp de la nouvelle Brême a permis, grâce à son organisation, de former des convois de plus en plus importants et « d'optimiser » ainsi les transports vers Ravensbrück, c'était là un des derniers rouages de la déportation répressive.

Camp de Ravensbrück

Le camp de Ravensbrück a été créé en 1938 et a été libéré par l'armée russe le 30 avril 1945. On estime à environ 92 000 le nombre de victimes qui ont péri là. Essentiellement féminines parce que ce camp fut le seul grand camp de concentration réservé aux femmes, une idée de Himmler qui s'en enorgueillissait. Ce camp fournissait ainsi de la main-d'œuvre pour les usines d'armement allemandes, ou pour les mines de sel.

On aurait tort de penser que, parce que féminin, les conditions de détention étaient moins redoutables au camp de Ravensbrück qu'ailleurs. Loin de là… Les conditions d'existence s'y sont avérées tout aussi effroyables que dans les autres camps : coups, tortures, pendaisons publiques sur cette même place où l'on faisait des appels interminables. Les exécutions étaient quotidiennes. Les femmes devenues trop faibles étaient régulièrement envoyées au « camp de jeunesse » d'Uckermark situé à proximité du camp ou encore à Auschwitz afin d'y être gazées. D'autres ont été tuées par injection de poison ou encore utilisées comme cobayes pour des expériences « médicales ».

Des entreprises SS avaient été installées à proximité du camp et les femmes furent bientôt astreintes aux travaux forcés les plus éprouvants. Le sort des enfants était également abominable…

À partir d'octobre 1942 et jusqu'à la fin de la guerre, le commandant du KZ de Ravensbrück est Fritz Suhren. Il va décréter la mise à mort des prisonnières trop faibles et/ou trop âgées pour travailler, et va installer les chambres à gaz. Si une majorité de décès étaient la conséquence de l'épuisement, de la faim et de la soif, du froid et des maladies, on sait aussi que des femmes, jusqu'au bout résistantes, ont été exécutées pour sabotage. Elles tentaient de nuire à la production de guerre allemande. Et puis, on éliminait aussi les « inutiles », c'est-à-dire, les plus faibles, malades ou trop âgées pour travailler efficacement. Enfin, le motif des arrestations entrait bien sûr également en considération. C'est là que tout s'achève et c'est là que je perds le fils de ton histoire. Résistante, d'origine anglaise, tu es âgée de 58 ans lors de ton interpellation, autant dire que tu étais… vieille. Enfin, malgré la force de ton tempérament, tu étais de constitution fragile : beaucoup de raisons de craindre le pire. Je me surprends à espérer que ton calvaire n'aura pas duré trop longtemps. De fait, tu mourras le 1er novembre 1944. Bien sûr, les circonstances de ta mort sont inconnues.

III

6 JUIN 1944
LE D DAY

Les sanglots longs des violons de l'automne
Blessent mon cœur d'une langueur monotone.

Paul Verlaine, Chanson d'automne

Erreur de parachutage

Parmi les messages diffusés par la BBC le 5 juin 1944 au soir, deux célèbres vers de Verlaine préviennent les résistants du débarquement imminent en Normandie. Ce débarquement que l'on espère et qui a déjà dû être reporté d'une journée en raison d'une météo exécrable (c'est effectivement une véritable tempête qui a déferlé sur le sud de l'Angleterre dès le 4 au soir) va pouvoir enfin être déclenché, et ce malgré une météo encore bien maussade. Advienne que pourra.

Il est aux environs de 23 h, une trentaine de Dakota s'apprêtent à décoller de l'aérodrome militaire de Broadwell, en Angleterre. Objectif: la Normandie, et plus précisément la batterie d'artillerie de Merville-Franceville, au nord de Caen. C'est un point clé, stratégique. Il va s'agir de sécuriser le flanc est du débarquement, afin de protéger les troupes qui vont débarquer sur le secteur Sword (face à Ouistreham-Riva Bella). Pour que l'Opération Overlord puisse aboutir, il faut expressément protéger cette zone, et réduire au silence les canons allemands afin que, à 6 heures précises, puisse débuter le Débarquement de Normandie. Ce sont donc quelque 650 hommes qui vont décoller cette nuit-là.

Malheureusement, le parachutage se passe dans de très mauvaises conditions. Beaucoup de paras vont se noyer dans les marais, des armes vont être perdues et seuls 150 hommes sur les 600 prévus parviendront normalement à la batterie. Le reste, quant à lui, se retrouvera éparpillé sur une zone très vaste. La bataille fut meurtrière : sur les 150 hommes qui arrivèrent à la batterie, seuls 80 seront encore debout à la fin de l'assaut. Mais l'objectif était atteint.

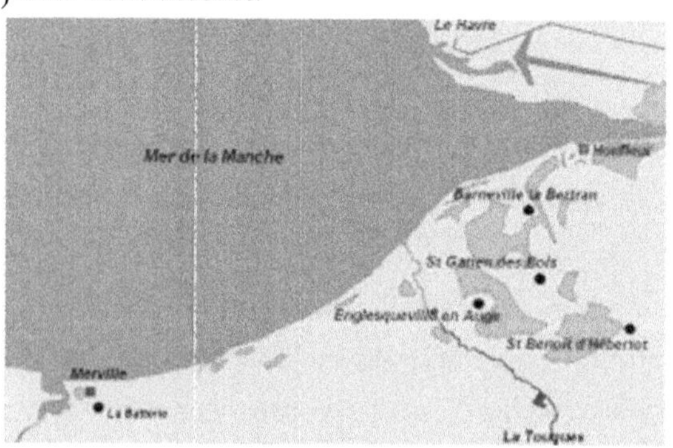

À environ 1 heure du matin, des hommes appartenant à une section du peloton de mortiers du 9e bataillon de parachutistes britanniques commandée par le sergent Edward Smith, secondé par le caporal George Wilson sont parachutés, avec des containers remplis d'armes, au-dessus d'une zone assez vaste aux alentours de Barneville-la-Bertran, à 35 kilomètres de Merville-Franceville. Plusieurs raisons pourraient expliquer cette erreur.

Un des aviateurs des 32 Dakota du 512e escadron qui transportait le 9e bataillon a mentionné dans un rapport de l'opération « Overlord », les points suivants qui semblent importants à noter :

• Les feux de signalisation étaient éteints.

• La couverture nuageuse obscurcissait la lune. Le vol en formation était donc particulièrement difficile.

• Il s'est produit au niveau de la *drop zone* (la zone de saut) une forte concentration d'approximativement 250 avions. Plusieurs équipages ont d'ailleurs fait état de collisions évitées de peu avec d'autres appareils. Le *Dakota leader*, quant à lui, piloté par le commandant Coventry, a dû s'y prendre à 3 reprises pour larguer son *stick*, c'est-à-dire la file de parachutistes se succédant par la même porte (on parle de « câble » en français).

D'autres rapports signalent quant à eux, des embardées d'appareils et des changements de cap brutaux au moment du largage, à l'origine de chutes, dans la carlingue, de paras lourdement chargés, provoquant ainsi l'interruption des parachutages. Ces perturbations ont alors obligé l'avion à effectuer un second tour pour retrouver seul la *drop zone* et la tâche n'a évidemment pas été aisée.

D'autres hypothèses ont été envisagées :

• Le Dakota aurait lui-même rompu la formation (ce qui est arrivé à d'autres appareils cette nuit-là) et se serait alors perdu avant même d'aborder les côtes françaises,

• Le pilote aurait confondu l'Orne avec la Touques, ce petit fleuve côtier qui traverse le pays d'Auge pour se jeter dans la Manche entre Trouville et Deauville.

Le sergent Smith, dans son rapport, détaille cette opération mouvementée.

Rapport du sergent Smith (traduction)

« Nous avons décollé pour la Normandie le 5 juin 1944, à 23 h 15. À 1 h, le 6 juin, j'ai atterri dans un bois, à l'ouest de Barneville. Je me suis foulé une cheville en touchant terre. Bien sûr, j'ai essayé immédiatement d'entrer en contact avec ma section et aussi de récupérer les containers. Sans succès. Je suis donc resté caché dans ce bois jusqu'au lever du jour, puis me suis dirigé vers le Nord. J'ai alors rencontré un Français qui a pu me renseigner quant à ma position. J'ai encore dû rester quelque dix-huit heures dans un bois avant de me diriger cette fois vers le sud. Au bout de deux heures, j'ai retrouvé le Caporal Wilson, lui-même caché dans une haie. Nous sommes restés cachés là jusqu'au 7 juin. À 19 h, nous avons pu commencer à nous diriger vers le sud-ouest. Dans la soirée, une sentinelle allemande a fait feu sur nous, nous obligeant à nous dissimuler jusqu'à l'aube dans un champ de maïs. Nous avons pu ensuite nous remettre en marche, pour réussir vers 8 h, le 8 juin, à nous réfugier dans la forêt de Saint Gatien des Bois, où nous sommes restés jusqu'au 9 juin. C'est en nous dirigeant vers Saint-Benoît que nous avons rencontré deux femmes qui ont accepté de nous aider. Elles sont donc revenues avec leur frère, mais aussi des vivres. Nous sommes restés planqués dans un bois, à proximité de Saint-Benoît jusqu'au 12 juin.

Pendant ces trois jours, le Français nous apportait de quoi subsister : quelques couvertures et des vivres.

Le 12 juin, enfin, un membre de la Résistance est arrivé à notre planque et nous a emmenés en camion dans une grange, à environ trois kilomètres à l'est d'Honfleur où nous sommes restés jusqu'au 25 juin, avant qu'un groupe de résistants comptant une trentaine d'hommes, nous emmène vers une maison près de Manneville. Le 9 juillet, on nous a emmenés cette fois, et toujours en camion, dans une grange à quatre kilomètres au nord de Beuzeville. »

Finalement, les deux hommes vont réussir à rejoindre le Royaume-Uni à la fin août 1944, après, comme nous l'avons vu, avoir été pris en charge par la Résistance et avoir été régulièrement déplacés, pour brouiller les pistes.

Pendant ce temps, quatre à cinq autres parachutistes sont restés à Barneville-la-Bertran, pris en charge par des familles de la commune. Clara Chompton, d'origine anglaise, sera donc l'interprète et contribuera également, comme d'autres, au ravitaillement. Ainsi, c'est une partie de la commune qui va porter secours aux Anglais, pour les cacher, mais aussi pour les nourrir et leur fournir des tenues.

Retenons les noms des familles Rocher, Marie, et enfin, Quéruel ; cet ouvrage leur est également dédié.

Un des paras est accueilli par une des familles, une seconde, de son côté accueillera deux hommes, et enfin une troisième dissimulera, en plus des parachutistes, les conteneurs d'armes, puis finalement, la totalité des parachutistes. Un résistant, venu au village le 8 juin pour aider les paras affirmera plus tard qu'ils étaient cinq. C'est lui qui les emmènera à Englesqueville en Auge, pour rejoindre un second groupe de paras cachés dans une grange.

Évidemment, les Allemands, quant à eux, avaient été mis au courant assez rapidement de ce parachutage et ils recherchaient activement les hommes et aussi, les armes. De fait, avant le 14 juin, ces derniers vont prendre position sur les hauteurs d'Englesqueville et marcher directement, *un peu trop* directement diront certains, vers la grange. C'est malheureusement la totalité des parachutistes qui sera arrêtée ce jour-là. Aujourd'hui, 75 ans plus tard, on ne connaît toujours rien des conditions de cette capture ni du sort de ces hommes. Mais malheureusement, l'histoire ne va pas s'arrêter là…

Après avoir capturé les parachutistes, les Allemands vont dès le lendemain se mettre en quête de tous ceux qui les ont aidés. Une première ferme, à Anglesqueville, dans laquelle, ils ne trouveront rien, ni armes, ni hommes.

Ils arrivent ensuite à Barneville-la-Bertran dans la nuit du 17 au 18 juin et vont d'abord réveiller le maire, afin de lui soutirer des noms, des adresses. Ce dernier fait semblant de ne pas comprendre, donne des informations volontairement très vagues. Les soldats vont donc le contraindre à les suivre, pieds nus, sous la menace d'une arme à feu. Ils vont exiger de lui qu'il joue les rôles de « guide » et « d'interprète ». Ainsi, ils vont d'abord frapper chez la famille Marie, vont arrêter le père et ses deux fils ; puis ce sera au tour des Quéruel. À la ferme de ces derniers, ils vont trouver les conteneurs d'armes. Ce sont des armes lourdes, des mortiers, mais aussi des bombes de mortiers, de neuf pouces, très destructrices. Avec ces armes, des postes de radio. Bref c'est sur un véritable arsenal que les soldats allemands vont mettre la main. Ces armes auraient dû être déplacées, mais les événements et notamment l'arrestation de la totalité des parachutistes avaient retardé la réalisation du projet. Ces armes n'étaient pas destinées à la Résistance. Non, elles étaient bel et bien destinées aux soldats britanniques. On s'accorde aujourd'hui à penser que c'est à cause de ces armes que les soldats allemands vont faire preuve d'une telle sévérité. En effet, n'oublions pas que dissimuler des armes était à l'époque, puni de mort.

À Barneville-la-Bertran, certainement en représailles, les Allemands vont arrêter huit personnes et un habitant de Pennedepie, un village voisin ; huit personnes qui avaient porté secours aux parachutistes. Huit personnes, dont Clara. Elles seront interrogées puis déportées en Allemagne, dans les camps de concentration de Neuengamme, mais aussi de Ravensbrück, pour ce qui est de Clara. Un seul d'entre eux en reviendra en 1945.

Voilà le terrible tribut que dut payer la commune de Barneville-la-Bertran pour sa contribution au mouvement de Liberté. Leurs noms sont aujourd'hui gravés sur le monument aux morts dans le petit cimetière de Barneville-la-Bertran, mais aussi sur celui de Pennedepie. Ils sont également mentionnés dans le « Livre mémorial des victimes du nazisme dans le Calvados », en 2004.

La guerre oui, mais le deuil ?

En parcourant la vie de Clara, et en discutant avec ma grand-mère, j'ai pris conscience d'une nouvelle dimension de la guerre. On pense parfois qu'un conflit se termine le jour où l'on signe l'armistice. C'est une erreur. Pour s'en convaincre, il suffit de lire les témoignages de tous ceux qui allaient au Lutetia, l'espoir chevillé au corps, afin de retrouver la trace d'un proche déporté et malheureusement souvent disparu pour toujours. L'attente est une guerre à elle seule. L'attente et l'espoir.

Robert et Suzanne t'ont attendue longtemps, Clara. J'en veux pour preuve les nombreux courriers reçus de la famille, leur demandant des nouvelles de toi. Lettres remplies d'espoir et d'angoisse ; de prières aussi, Clara était très pieuse. Oui, qu'elle doit être douloureuse cette période où l'on attend… Où l'on espère. Je les imagine tous les deux, à l'affut de la moindre nouvelle. Peut-être en contemplant la mèche de tes cheveux.

En avril 1945 naîtra leur première fille : Claire, ma mère. Claire, ta petite-fille. Le choix du prénom n'est évidemment pas anodin. Quant à Claire, elle n'aura de cesse de se faire appeler Clara. Claire, Clara, Clara, Claire… Non, les guerres ne se terminent pas le jour où l'on signe la paix.

Robert a cru à ton retour jusqu'au bout. Jusqu'à ce courrier reçu un matin, le 16 septembre 1947. Plus de trois ans après l'arrestation de sa mère, ce courrier officiel confirmait la déportation de Clara à Ravensbrück. En lisant ce document, je découvre que figure la mention « déportée raciale ». J'en conclus que son origine anglaise a pesé lourd, très lourd, dans la décision de cette déportation. « Déportée pour avoir recueilli, nourri et fait évader des parachutistes alliés », elle serait décédée le 9, ou le 10 août 1944, à moins que ce ne soit en novembre. À vrai dire, la date importe peu. Il n'en reste pas moins que l'acte de décès officiel apparaît à Barneville-la-Bertran le 26 octobre 1947.

Notons que dès janvier 1947, le maire de Barneville-la-Bertran avait reçu un premier document, officieux cette fois, annonçant la déportation et le décès de mon arrière-grand-mère.

1947… On peut imaginer que la guerre de Robert s'est arrêtée cette année-là, quand il a cessé d'espérer.

La guerre, oui. Mais le deuil… Comment faire le deuil de celle qui ne rentre pas, qui n'a pas de sépulture…

« Demandez à Madame Chompton, car c'est elle qui sait tout. »

Je me suis beaucoup interrogée au sujet de cette phrase, si terrible de conséquences. Avait-elle été dite sciemment ? La personne était-elle consciente des répercussions ; l'arrestation, la torture, la déportation, la mort ? Avait-elle voulu faire arrêter Clara ou avait-elle eu peur ? On conviendra que ce n'est pas la même chose. Quoi qu'il en soit, on m'a demandé parfois si j'avais été tentée de révéler dans ce livre l'identité de la personne qui t'a précipitée dans cet enfer. Pour quoi faire ? Donner un nom ? Non. Je préfère que les seuls noms que l'on retienne soient le tien, Clara, et ceux de tes compagnons d'infortune. Eux méritent notre mémoire ; eux et eux seuls.

Je pense également aux descendants de ceux qui ont envoyé Clara et ses compagnons en enfer. Bien sûr, ils ne sauraient être tenus pour responsables des actes et des paroles de leurs aînés. Il est plus facile d'être le descendant de celui qui a résisté que le descendant de celui qui a collaboré. Ils ont de fait, droit à la paix et la discrétion.

Un élève m'a demandé dernièrement si j'avais pardonné à cette personne. Encore une question intéressante, notamment si l'on considère que c'est un collégien qui me l'a posée.

Cette même question a été posée au sujet des victimes de la Shoah. Que répondre? Nous avons longuement réfléchi ensemble. Si je suis convaincue que les discours haineux sont dangereux et toujours nocifs, je pense également que je n'ai pas à accorder mon pardon. Les seules qui pourraient le faire, qui auraient pu le faire, ce sont les victimes. Peut-être d'ailleurs qu'au moment de mourir, Clara avait pardonné?

IV

ET APRÈS

« Ce livre sera son tombeau »

Philippe Grimbert, *Un secret*

Se souvenir de Clara

6 juin 2014

Batterie de Merville-Franceville

Un premier ouvrage est sorti en 2014. Tirage confidentiel pour un ouvrage publié à compte d'auteur. J'ai eu l'honneur de le présenter à la batterie de Merville, à l'occasion des cérémonies du 70ᵉ anniversaire du débarquement. Je suis installée à la sortie de la casemate, tout près de ta photo. Des vétérans viennent me saluer, me remercier d'avoir consacré un ouvrage, aussi modeste soit-il, aux parachutistes du 9ᵉ bataillon et aux déportés de Barneville-la-Bertran.

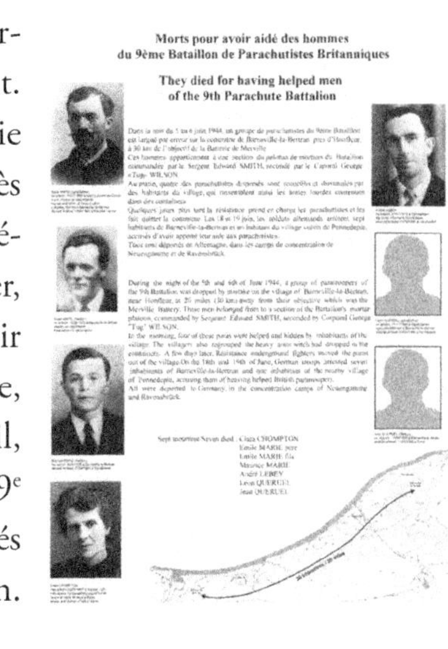

Morts pour avoir aidé des hommes du 9ème Bataillon de Parachutistes Britanniques

They died for having helped men of the 9th Parachute Battalion

Dans la nuit du 5 au 6 juin 1944, un groupe de parachutistes du 9ème Bataillon est largué par erreur sur la commune de Barneville-la-Bertran, près d'Honfleur, à 30 km de l'objectif de la Batterie de Merville.
Ces hommes appartiennent à une section du peloton de mortiers du Bataillon commandée par le Sergent Edward SMITH, secondé par le Caporal George «Tug» WILSON.
Au matin, quatre des parachutistes dispersés sont recueillis et dissimulés par des habitants du village, qui rassemblent aussi les armes lourdes contenues dans des containers.
Quelques jours plus tard la résistance prend en charge les parachutistes et les fait quitter la commune. Les 18 et 19 juin, les soldats allemands arrêtent sept habitants de Barneville-la-Bertran et un habitant du village voisin de Pennedepie, accusés d'avoir apporté leur aide aux parachutistes.
Tous sont déportés en Allemagne, dans les camps de concentration de Neuengamme et de Ravensbrück.

During the night of the 5th and 6th of June 1944, a group of paratroopers of the 9th Battalion was dropped by mistake on the village of Barneville-la-Bertran, near Honfleur, at 25 miles (30 km) away from their objective which was the Merville Battery. These men belonged from to a section of the Battalion's mortar platoon, commanded by Sergeant Edward SMITH, seconded by Corporal George "Tug" WILSON.
In the morning, four of these paras were helped and hidden by inhabitants of the village. The villagers also regrouped the heavy arms witch had dropped in the containers. A few days later, Resistance underground fighters moved the paras out of the village. On the 18th and 19th of June, German troops arrested seven inhabitants of Barneville-la-Bertran and one inhabitant of the nearby village of Pennedepie, accusing them of heaving helped British paratroopers.
All were deported to Germany, in the concentration camps of Neuengamme and Ravensbrück.

Sept moururent/Seven died : Clara CHOMPTON
Emile MARIE père
Emile MARIE fils
Maurice MARIE
André LEBEY
Léon QUERUEL
Jean QUERUEL

C'est un moment très fort, très riche en émotion. Te raconter Clara, c'est te faire vivre.

C'est intimidant d'être là. Je me souviens notamment d'une discussion avec un couple de jeunes Allemands. Ils m'interrogent sur Clara, m'expliquent leur mal-être, ce sentiment indéfinissable qu'ils éprouvent face à l'horreur des exactions commises par les nazis. Le jeune homme, âgé d'une vingtaine d'années est particulièrement mal à l'aise. Il me parle de honte, celle d'avoir eu un aïeul qui arborait une croix gammée. Il me demande s'il peut m'embrasser et finit par me demander pardon… La situation est improbable. Je me souviens lui avoir répondu qu'il ne saurait être tenu pour responsable de quoi que ce fut. Et bien sûr, je lui offre le livre de Clara.

La journée se passe, de rencontre en rencontre.

– Elle était belle cette dame, c'était qui ? Elle s'appelait comment ?

Je lève la tête. Un petit garçon est devant ma table. Il me regarde avec beaucoup de sérieux. Presque solennellement.

– C'était mon arrière-grand-mère. Oui elle était belle. Elle s'appelait Clara.

– Tu as de la chance, ça devait être une héroïne, dit-il en souriant.

– Oui c'était une héroïne.

– Hé, jeune homme…

Le petit garçon se retourne.

– Oui madame ?

– Ça te ferait plaisir que je t'offre mon livre ?

– Oui, j'aimerais bien. Papa je peux ? Comme ça, je l'apporterai à l'école…

– Tu veux que je t'écrive un mot ? Comment tu t'appelles ?

– François…

François… comme le fils de Clara.

Une sépulture

À l'époque où j'écrivais ton histoire, j'ai eu le plaisir de rencontrer Philippe Grimbert. Il venait de publier son roman autobiographique *Un secret.* La rencontre avait été passionnante nous avons eu l'occasion de discuter longuement de l'importance de la mémoire.

« Ce livre sera sa tombe », cet excipit m'avait beaucoup touchée. En écrivant son roman, Philippe Grimbert offrait une sépulture à son frère, disparu à Auschwitz. Simon, l'enfant juif, Clara, l'Anglaise, l'ennemie… Il fallait vous éliminer, que vos vies ne se résument qu'à un numéro, tatoué sur le bras, ou à un matricule, avant d'être annihilées.

Offrir une sépulture pour faire exister… J'aime cette idée. Cet ouvrage sera peut-être ton *livre-tombeau*, cette sépulture qui t'a manqué. Peut-être même te permettra-t-il de connaître enfin le repos, *toi qui croyais au ciel*; je suis fière de te l'offrir, *moi qui n'y [crois] pas*[1].

Ce livre, aussi modeste soit-il, permettra de fixer ton nom, pour que l'on ne t'oublie pas et chaque lecteur, en parcourant ces pages, te fera exister. C'est là, la magie de l'écriture.

Quant à toi, Clara, tu es là ; je te retrouve quand je regarde ma fille, quand je tiens mes enfants dans mes bras. Je caresse la mèche de tes cheveux et je comprends soudain l'importance qu'elle avait pour ma grand-mère. C'était, avec quelques photos le dernier souvenir qu'elle avait de toi, presque une relique. Je n'avais pas compris que par cette mèche de cheveux, il nous restait une partie de toi, que la folie meurtrière n'avait pas pu nous voler. C'est idiot, mais cela me touche, comme une ultime victoire.

Ils étaient beaux tes cheveux Clara…

---

1. Louis Aragon, *La rose et le Réséda*.

Une lumière dans la nuit

Clara, j'espère que ces quelques lignes sans prétention auront permis de mieux connaître ton histoire et celle de tes compagnons d'infortune.

J'espère que nos jeunes générations resteront vigilantes tout en ayant confiance en la vie. Il ne faut surtout pas oublier que la Liberté et la Démocratie seront toujours à défendre, bec et ongles, et qu'il ne faut pas baisser la garde. Jamais. Il suffit d'écouter le monde qui nous entoure, d'entendre encore la haine qui gronde çà et là pour nous en convaincre...

Oui, ce sont les jeunes générations qui sont détentrices de cet équilibre si fragile. La mémoire est importante et, avec elle, la reconnaissance vis-à-vis de celles et ceux qui ont risqué et quelquefois donné leur vie pour cette liberté si importante à défendre. Savoir, comprendre pour enfin agir. Moi qui travaille avec ces adultes en devenir, je ne peux m'empêcher d'avoir confiance en eux. L'éducation et l'instruction, l'école enfin, les aident à devenir des êtres éclairés, des citoyens. L'éducation à la citoyenneté, voilà la clé, n'en doutons pas. Il suffit d'assister aux plaidoiries lycéennes qui tous les ans ont lieu au Mémorial de Caen pour s'en convaincre.

Ainsi, je veux donc dédier ce petit livre à mes élèves, et à tous les jeunes, d'ici et d'ailleurs, en lesquels je persiste à vouloir croire…

Souvent, je pense à toi, chère Clara, particulièrement lorsque j'aborde cette partie de l'Histoire avec mes élèves de 3e. Ils découvrent Lucie et Raymond Aubrac, Jean Moulin, Manouchian et ses compagnons… toutes ces personnes illustres dont nous connaissons les noms, tous ces « amoureux de vivre à en mourir »[2]. Nous évoquons aussi les anonymes, si importants et si nombreux, leurs arrière-grands-parents, un oncle éloigné quelquefois, une arrière-grand-mère, héroïne familiale.

Parfois, je me surprends à me demander si j'aurais eu ton cran. Aurais-je « supporté » les coups et la torture, les privations et les injures

2. Louis Aragon, *L'Affiche rouge.*

de la Rue des fossés, sans parler, sans trahir? Je pense à Mathilde, la Résistante du roman *l'Armée des ombres*, de Joseph Kessel, à son cran, à sa force. Toi, tu étais comme ça.

Sache que je suis infiniment fière de toi, et de vous tous, grâce auxquels mes enfants, aujourd'hui, peuvent grandir dans un pays en paix. Erwan, Mélina et Léo apprendront à connaître l'histoire de leur arrière-arrière-grand-mère et de ses valeureux compagnons. Parce que ton histoire, Clara, est aussi un peu la leur.

Malheureusement Suzanne, ma grand-mère chérie, n'aura pas eu le temps de voir notre projet achevé. Mais elle continue de m'accompagner dans chaque nouvelle étape, dans chaque dédicace. Le livre de Clara est aussi son livre. Claude, le neveu de Clara, qui aimait tant sa tante et ses vacances à Barneville, n'est plus de ce monde lui non plus, mais j'ai eu le temps de lui offrir mon livre, lors de sa première édition. Ce fut un joli moment. J'ai également pu l'offrir à monsieur Geffine, qui t'avait connue. J'en ai même envoyé un à la mairie de Walsall.

Dernièrement, Léo a parlé de toi dans un devoir de français. Il parlait de l'importance du témoignage, mais aussi de la mémoire.

Quelle fierté pour moi! Que mon fils prenne le relais en parlant de Clara, comme un passage de flambeau! Oui, la lumière de Clara continuerait de briller. Suzanne aurait été heureuse, je pense, de savoir cela.

Une lumière dans la nuit… Voilà ce que tu as été, Clara.

Remerciements

Il me reste plus à remercier Madame André Rocher, Madame Dagorn, Madame Anne-Sophie Boisgallais, Madame Suzanne Godin, Messieurs Dupuis, Aubert, Bernard, maire de Barneville-la-Bertran, André Geffine, Claude Boisgallais, M. O Paz, maire de Merville-Franceville et président de l'Association de la batterie de Merville, M. M Abraham, de l'Association de la batterie de Merville, M. G Marshall, premier adjoint au maire de Barneville-la-Bertran, M. T Lea, président de l'Association des vétérans du 9e bataillon des parachutistes britanniques. Je veux également remercier M. Jean Quellien, historien, pour ses renseignements précieux et surtout pour sa préface.

Je n'oublie pas Pierre-Yves Anne et Brigitte Lemonnier qui m'ont épaulée, mon ami Henri Girard pour sa bienveillance, Élisabeth Olive pour ses conseils éclairés et enfin Michel Lucas qui sait si bien photographier les lieux qui me sont chers.

Pour finir, merci à mon ami, l'artiste Arnaud Jusiewicz pour cette magnifique toile, “Sans titre, 1999”, qui illustre parfaitement cette lumière qui continue de briller.

Sans eux, rien n'aurait été possible.

Enfin, je remercie Mathilde Palfroy et La Rémanence pour avoir donné un second souffle à ce petit ouvrage, si important pour moi.

WWW.EDITIONSDELAREMANENCE.FR

SUIVEZ-NOUS SUR

@EditionsdelaRemanence

@ed_remanence

@editionsdelaremanence

@editions-de-la-remanence

DÉPÔT LÉGAL : JUIN 2020
IMPRESSION : BOOKS ON DEMAND, GMBH
NORDERSTEDT, ALLEMAGNE